Der Abc

von Ulrike Holzwarth-Raether und Ute Müller-Wolfangel
mit Bildern von Barbara Scholz

Dudenverlag
Mannheim · Leipzig · Wien · Zürich

Die Deutsche Bibliothek – CIP-Einheitsaufnahme
Ein Titelsatz für diese Publikation ist bei Der
Deutschen Bibliothek erhältlich.

Das Wort DUDEN ist für den Verlag
Bibliographisches Institut & F. A. Brockhaus AG
als Marke geschützt.

Das Werk wurde in neuer Rechtschreibung verfasst.

© Bibliographisches Institut & F. A. Brockhaus AG,
Mannheim 2000   K
Lektorat: Anja Fischer
Herstellung: Claudia Rönsch
Layout und Satz: Berit Wenkebach, Mannheim
Umschlaggestaltung: Bettina Bank, Heidelberg
Druck und Bindung: Egedsa, Sabadell (Barcelona)
Printed in Spain
ISBN 3-411-70772-0

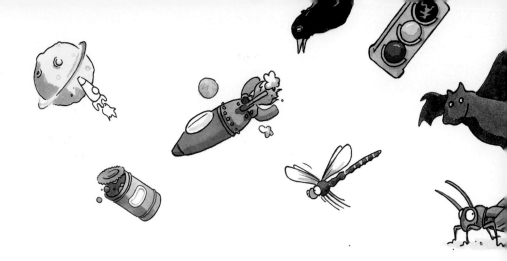

Inhalt

Liebe Eltern, liebe Lehrerinnen und Lehrer,

A wie Ampel, B wie Banane ... Z wie Zelt – so fangen Kinder-
garten-Kinder mit dem Lesen und Schreiben an. Beim Lesen set-
zen sie Buchstaben in Laute um, beim Schreiben gehen sie umge-
kehrt vor. Sie schreiben das, was sie mit den Ohren wahrnehmen.
Die erste Schreib- und Lesestrategie der Kinder ist also davon ab-
hängig, den Zusammenhang zwischen dem Laut und dem Buch-
staben zu erfassen.

Der Abc-Duden hat drei Teile:
Im ersten Teil werden **alle Buchstaben von A-Z** vorgestellt. Auf
der linken Seite finden sich stets einfache Wort-Bild-Zuordnungen.
Dabei wurden, wo immer es möglich war, lautgetreue Wörter aus-
gewählt und illustriert, also Wörter, die man so schreibt, wie man
sie spricht. Die jeweils rechte Seite ist immer eine „Arbeitsseite"
mit akustischen und optischen Übungen zum jeweiligen Buchsta-
ben und Laut. Auf das Z folgen noch einige Seiten mit wichtigen
Lauten wie Sch, Sp, Ei und Au.

Im zweiten Teil wird mit **einfachen Abc-Spielen** das Alphabet ge-
übt. Wer später einmal mit einem Wörterbuch arbeiten und schnell
nachschlagen will, der muss das Abc in- und auswendig können.

Der dritte Teil des Abc-Dudens ist ein **kleines Wörterbuch** zum
Nachschlagen. Dort sind neben den Namenwörtern des ersten
Teils auch Verben, Adjektive und einige „kleine" Wörter zusam-
mengetragen. Fast alle Wörter in dieser Liste werden lautgetreu
geschrieben. Damit hält das Kind eine Liste von Wörtern in der
Hand, die ihm das erste Lesen und Schreiben sehr erleichtert.

Für alle, die sich auf die Schule freuen, ist der Abc-Duden ein An-
reiz, sich mit dem Alphabet zu beschäftigen. Für Schulanfänger ist
er eine Hilfe zum Schreiben und Lesenlernen. Für fortgeschrittene
Grundschulkinder bietet er ein erstes kleines Wörterbuch mit laut-
getreuen, einfach zu schreibenden Wörtern. Damit ist er die
Grundlage für die erste wichtige Rechtschreibstrategie.

Die Autorinnen

Wer diese kleinen Zeichen kennt, braucht keine langen Arbeitsanweisungen!

 Das ist das **Sprechzeichen**.
Sprich das, was du auf den Bildern siehst, sehr deutlich aus.

 Das ist das **Hörzeichen**.
Dieses Zeichen sagt dir, auf welchen Laut du ganz genau hören musst. Der große Buchstabe (E) bedeutet, dass du auf den Anfang des Wortes achten musst. Der kleine Buchstabe (e) fragt danach, ob der Laut im Wort oder am Ende des Wortes zu hören ist.

 Das ist das **Sehzeichen**.
Hier musst du ganz genau hinsehen und die Buchstaben (B b), die groß und deutlich vorgegeben sind, in den Buchstabenwimmelbildern suchen und markieren.

 Das ist das **Stiftzeichen**.
Nimm einen Stift und ...

 ... **kreuze an, kreise ein** oder **male an,** was du für richtig hältst, oder ...

 ... **verbinde** mit einem **Strich** das, was zusammengehört.

 Das ist ein Sonderzeichen für schwierige Buchstaben. Diese Buchstaben haben sich ihre **Aussprache** von anderen geliehen: Das C vom K, das Qu vom K und W, das V vom F oder W. Sprich die schwierigen Buchstaben so aus, wie es in der Sprechblase steht.

 Hast du das **Daumenkino** schon entdeckt?

A a

Affen

Amsel

Ananas

Ampel

Anorak

Ameisen

Afrika

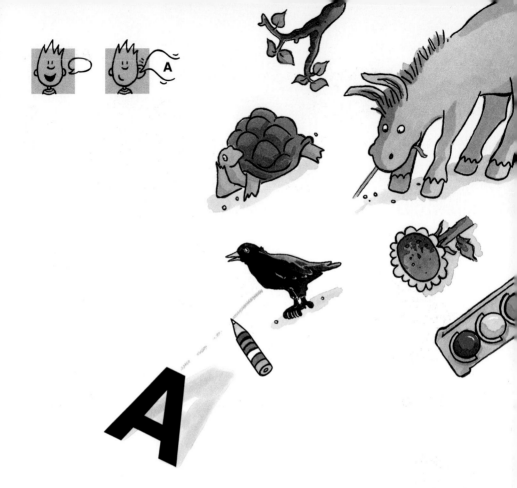

 **Aa**   Wanne   *Kanne*

Ast   *Julia*

Amerika

Angler

Amsel   **Abend**   **Lager**

B b

Besen

Banane

Büffel

Bikini

Brille

Baum

Biber

8

C ^K C

Clown

Currywurst

Camping

Cabrio

Collie

Comic

Cola

Computer

Cc

D d

Delfin

Distel

Dame

Dino

Domino

Düne

Dose

Deo

Dd

DCBDHOKQDP^D^T^G^BD^O

bdqbglhdbgqdadbpqd

E e

Eskimo

Erfinder

Elefant

Elfmeter

14 Esel   Ente   Eltern

er

Lehrer

Elfmeter

Biber

Erfinder

Computer

Fenster

Container

Fernseher

F f

Fledermaus

Fabrik

Frosch

Füller

Fotograf

Flöte

Fische

16

Ff

G g

Gewitter

Grille

Giraffe

Gurke

Grimassen

Girlande

Gorilla

Geige

18

H h

Hase

Haus

Hut

Hummel

Hose

Hampelmann

Hammer

Hamster

20

21

I i

Iltis

Igel

Indianer

Iglu

Imker

Insel

ICE

Ii

flLiltlüui   jüliLftjltfll

IfltiuLi   lttulljti   ülftlluia

J j

Junge

Jubiläum

Jojo

Judo

Juwelen

Juni

K k

Kasper

Kaktus

Kater

Kamel

Kiste

Klo

Kartoffeln

 **Kk**

Gurke

Knoblauch

Ast

Eskimo Kaktus

Kokosnuss **Bikini**

Kran Afrika

L l

Lampe

Lok

Löwe

Lupe

Laterne

Lama

Libelle

28

M m

Melone

Marionette

Mütze

Maske

Muscheln

Mantel

Murmeln

Mm

N n

Nudeln

Noten

Nest

Nadeln

Nashorn

Nüsse

Nase

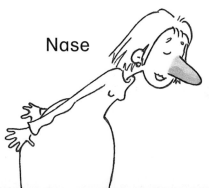

Nelke

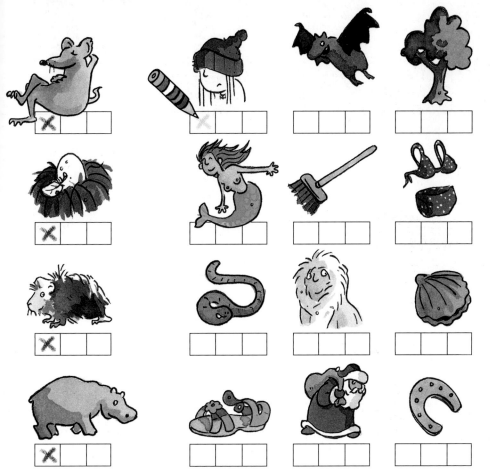

Nn

O o

Orden

Osterhase

Ofen

Ostereier

Oase

Oma

Opa

34

P p

Pudel

Paket

Pelikan

Planet

Pokal

Palme

Pinsel

Pirat

P, B, D

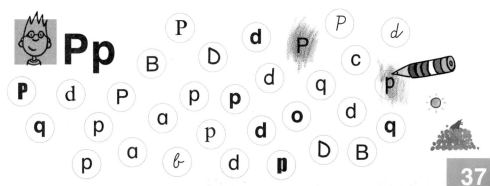

Pp

Q ^{kw} q

Quitte

Qualm

Qualle

Quelle

Quatsch

Quadrat

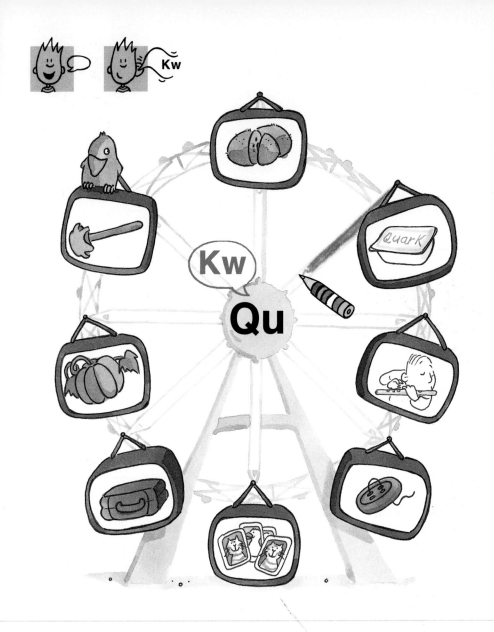

R r

Regen

Ratte

Rabe

Roboter

Rose

Ritter

Robbe

Rakete

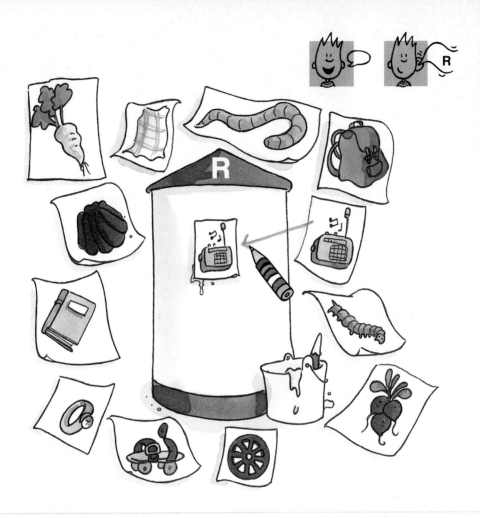

Rr

Die Rennmaus

Der schwarze Panter

Die riesengroße Rennmaschine

Der Ritter Raubein

Der rote Papagei

S s

Sonnenblumen

Sessel

Sofa

Sandale

Salat

Segel

Sattel

Salami

42

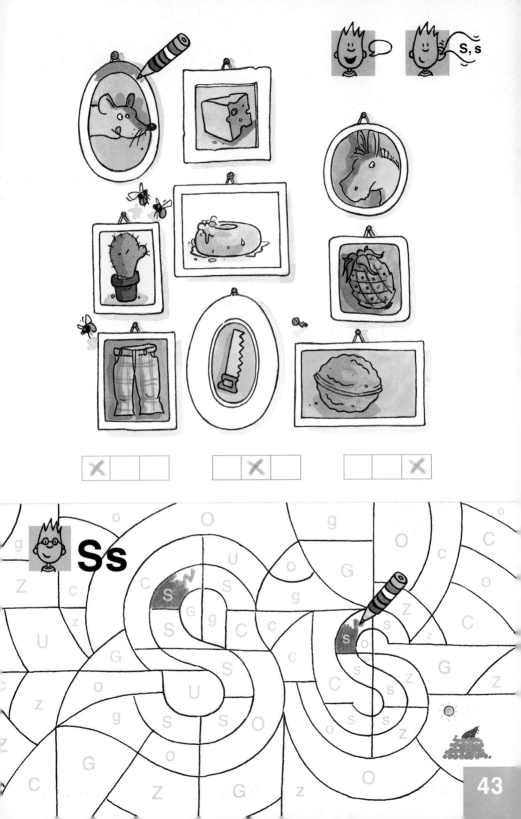

Ss

T t

Tisch

Tiger

Tafel

Tasche

Trompete

Telefon

44 Tomaten

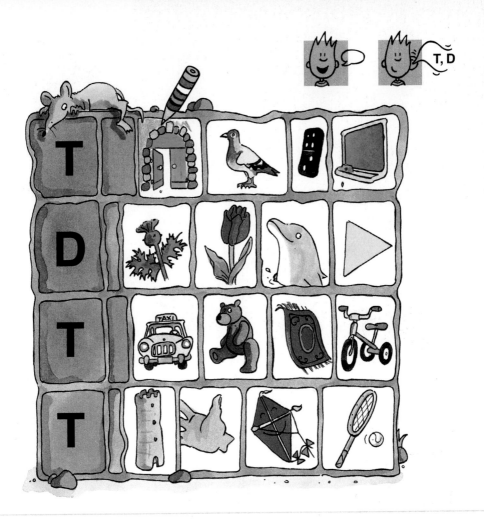

Tt

Tom hat sich zwei wichtige Termine in seinen Taschenkalender eingetragen. Am Donnerstag, den 8. Januar hat seine Oma Geburtstag. Aber erst später wird in Trier gefeiert. Darauf freut sich Tom sehr, weil seine Oma die besten Kuchen backt. Schnell entschließt er sich, einen kurzen Geburtstagsbrief zu schreiben.

U u

Umschläge

Uhu

Ufo

Urwald

Urkunde

Uniform

Umzug

u, o

Im
Urwald
umkurven
lustige
Uhus bunte Ufos.

 Uu

V v

Villa

Vase

Vampir

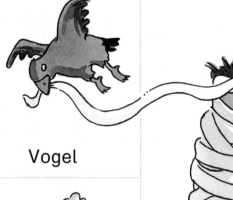

Vogel

Verband

Vater

Vulkan

Veilchen

W w

Wagen

Wal

Welle

Wasser

Wanne

Wald

Windel

u v w

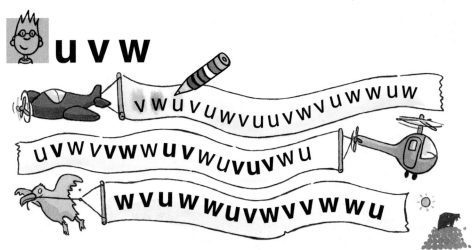

X x

Nixe

Hexe

Taxi

Boxer

Y y

Teddy

Pony

Baby

Pyramiden

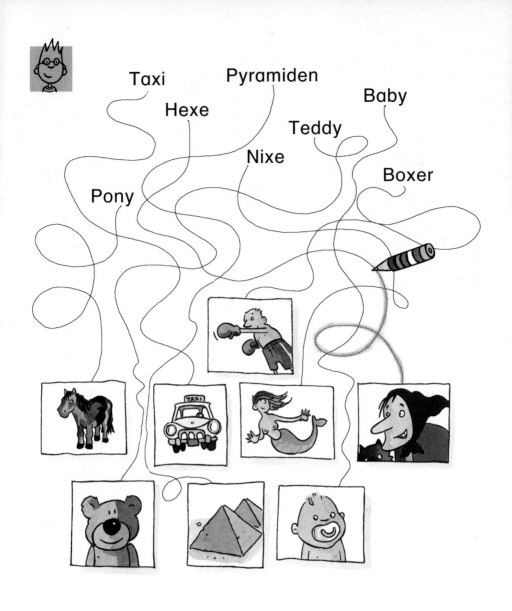

Taxi
Pyramiden
Baby
Hexe
Teddy
Nixe
Boxer
Pony

 **X Y**

Labyrinth   Hexenküche

Hexe   Hexenspruch   Teddy

Pyramide   Hexentanz   Hexenhaus

Dynamo   Hexerei   Hobby

Z z

Zauberer

Zwerg

Zaun

Zwillinge

Zelt

Zebra

Zirkus

Zitrone

Zwischen  **Zz**

zwei

Zwetschgenbäumen

zwitschern

zwei Zeisige.

Sch sch

Schaf

Schlitten

Schal

Schokolade

Schwein

Schwan

Schlüssel

Sch, sch

Sp sp

Spagat

Spaten

Spinat

Spinne

St st

Staffelei

Stein

Stift

Storch

58

 # Sp sp, St st

Gespenster spuken in Gespensterschlössern.
Spinnen spinnen Spinnennetze.
Störche stolzieren über den Steg.

Au
au

Maulwurf

Maus

Auto

Zauberer

Ei
ei

Leiter

Eis

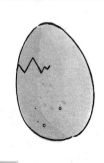

Ei

Meise

A, au, Ei, ei

61

Eu eu

Beutel

Euro

Eulen

Freunde

Scheune

Heu

Euter

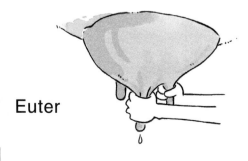

Eu, eu

eu

euneurueunerueuuen
nueunurneenreunuue

Ä ä

Käfer   Bär

Äpfel

Ö ö

Öfen

Könige

Ü ü

Überfall

Rübe

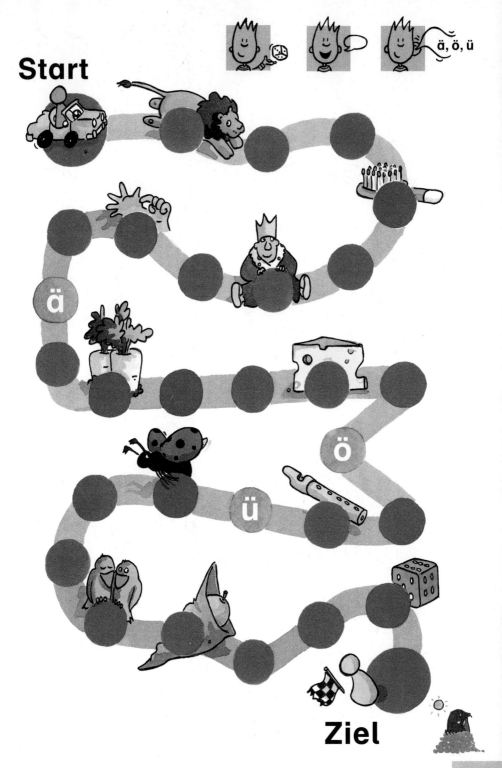

Start

ä, ö, ü

ä

ö

ü

Ziel

Dd Ee Ff

Kk Ll Mm

Qq Rr Ss Tt

Xx Yy Zz

ABCD eine kleine Fee,

EFGH die ich neulich sah,

IJKL zauberte ganz schnell,

MNOP tief im grünen Sommerklee,

QRST ein weißes Kleid aus Glitzerschnee.

UVWX das Kleid, das taute fix,

Y und **Z** das fand die Fee nicht nett.

Wer schwimmt noch auf dieser Seite?

Durch welche Buchstaben
haben sich die Mäuse
geknabbert?

Durch welche Buchstaben haben sich die
Raupen gefressen?

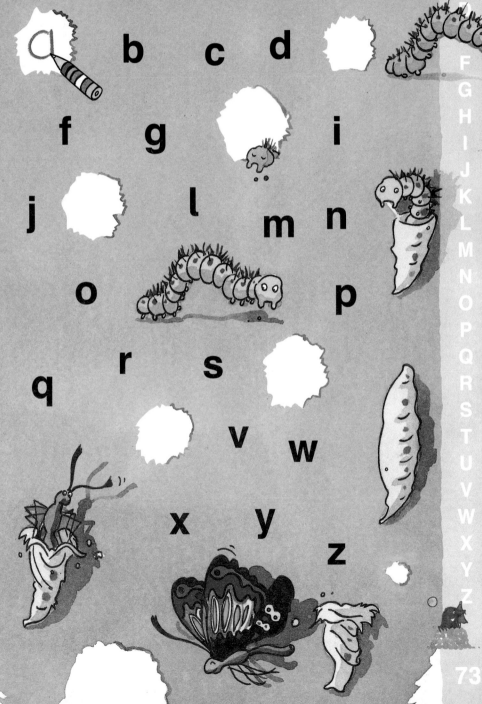

Wie gehts weiter?

☒	**AB...**	**v**	☐
☒	**efg...**	**S**	☐
☐	**PQR...**	**h**	☒
☐	**ijkl...**	**C**	☒
☐	**MNO...**	**O**	☐
☐	**stu...**	**m**	☐
☐	**GHIJ...**	**P**	☐
☐	**LMN...**	**K**	☐

Welcher Ball gehört wohin?

Was ist richtig?

- ☒ **MNOP**
- ○ **FGHI**
- ○ **tvw**
- ○ **stuvwo**
- ○ **xzy**
- ○ **ABCDF**
- ○ **CDG**
- ○ **JKLM**
- ○ **qrst**

Was ist richtig?

ABC

EFGH

yz

QuRT

UVx

MNOP

IJL

STU

Die Löwen stapeln Kisten nach dem Abc.
Welche Kiste gehört wohin?

Schlage die Wörter in der Wörterliste hinten nach. Auf welchen Seiten stehen sie?

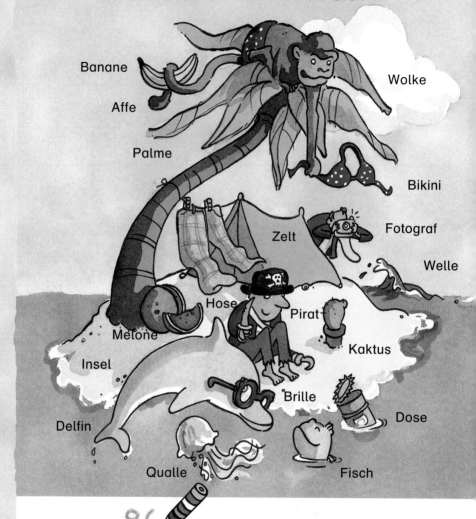

Banane

Wolke

Affe

Palme

Bikini

Zelt

Fotograf

Welle

Hose

Pirat

Melone

Kaktus

Insel

Brille

Delfin

Dose

Qualle

Fisch

Insel	86	Qualle	...	Welle	...
Palme	...	Banane	...	Wolke	...
Affe	...	Pirat	...	Delfin	...
Fisch	...	Brille	...	Bikini	...
Melone	...	Zelt	...	Dose	...
Hose	...	Kaktus	...	Fotograf	...

Schlage die Wörter in der Wörterliste hinten nach. Auf welchen Seiten stehen sie?

Ball ... 82

Zebra ...

Elefant ...

Eule ...

Esel ...

Giraffe ...

Gorilla ...

Robbe ...

Tiger ...

Fisch ...

Kamel ...

Hamster ...

Löwe ...

Nest ...

A

aber

der Affe

Afrika

alle

also

alt

am

die Ameise

die Ampel

die Amsel

an

die Ananas

der Anorak

der Apfel

die Äpfel

arbeiten

atmen

auf

aus

das Auto

B

das Baby

baden

die Banane

der Bär

basteln

bauen

der Baum

beginnen

bei

beide

beleidigen

bellen

benutzen

der Besen

der Beutel

der Biber

der Bikini
bis
bitten
blasen
blau
böse
der Boxer
die Brille
brüllen
brummen
der Büffel
bunt

D

da
dabei
dafür
die Dame
damit
das
dein
der Delfin
das Deo
der
deshalb
dich
der Dino
dir
die Distel
doch
das Domino
die Dose
du
die Düne
duschen

C

das Cabrio
das Camping
der Clown
die Cola
der Collie
der Comic
der Computer
die Currywurst

E

	eben
	egal
das	Ei
	eilen
	ein
	einfach
	einladen
	einmal
	einsam
das	Eis
der	Elefant
der	Elfmeter
die	Eltern
die	Ente
der	Erfinder
der	Esel
der	Eskimo

	etwas
die	Eule
der	Euro
das	Euter

F

die	Fabrik
	fallen
	falsch
	falten
	fassen
	faul
	finden
der	Fisch
	fischen
	fit
die	Fledermaus
die	Flöte
der	Fotograf
	fragen
	frei

der Freund
frisch
der Frosch
der Füller
fünf

geben
gegen
geheim
gehen
gehören
die Geige
gemein
genau
gerade
gewinnen
das Gewitter

die Giraffe
die Girlande
der Gorilla
die Grille
die Grimasse
die Gurke
gut

haben
halten
Hammer
der Hampelmann
der Hamster
der Hase
das Haus
heimlich
das Heu
heulen
heute
die Hexe
hinauf

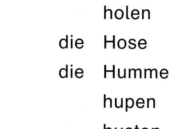

hinaus

hinein

hinten

hinter

hoffen

hören

holen

die Hose

die Hummel

hupen

husten

der Hut

der Imker

immer

in

der Indianer

ins

die Insel

ist

I

der ICE

der Igel

der Iglu

der Iltis

im

J

ja

jagen

jammern

jeder

das Jojo

das Jubiläum

jubeln

das Judo

der Junge

der Juni

die Juwelen

K

der	Käfer
der	Kaktus
	kalt
das	Kamel
die	Kartoffel
der	Kasper
der	Kater
	kauen
	kaufen
	kaum
	kein
	kennen
	kichern
die	Kiste
	kitzeln
	klappern
	kleben

	klein
das	Klo
	knallen
	kneten
	kochen
der	König
	können
	komisch
	kommen
	kosten
	kuscheln
	küssen

L

	laden
das	Lama
die	Lampe
	landen
	lassen
die	Laterne
	laufen
	laut

	leben
	legen
	leicht
	leise
die	Leiter
	lesen
die	Libelle
	lila
	loben
	logisch

die	Lok
	los
	lösen
der	Löwe
	lügen
die	Lupe

M

	malen
	man
der	Mantel
die	Marionette
die	Maske
der	Maulwurf
die	Maus
	mein
die	Meise
die	Melone
	mich
	minus
	mischen
	mögen
	müde
die	Murmel
die	Muschel
	müssen
die	Mütze

N

die	Nadel
	nagen
die	Nase
das	Nashorn
	neben
	neidisch
	nein
die	Nelke
	nennen
das	Nest
	neu
	neun
	nicht
	nisten
die	Nixe

	noch
	normal
die	Note
die	Nudel
	nun
	nur
die	Nuss
die	Nüsse

O

die	Oase
	oben
	oder
der	Ofen
die	Öfen
	offen
	oft
die	Oma
der	Opa
der	Orden
das	Osterei
der	Osterhase

P

das Paket
die Palme
passen
peinlich
der Pelikan
pfeifen
pflegen
der Pinsel
der Pirat
planen
der Planet
plappern
platzen
pleite
plus

der Pokal
das Pony
pressen
proben
prügeln
der Pudel
pumpen
pusten
die Pyramide

das Quadrat
quaken
die Qualle
der Qualm
der Quatsch
quatschen
die Quelle
die Quitte

R

der Rabe

die Rakete

rascheln

rasen

raten

die Ratte

rattern

rau

rauben

rauf

raus

rauschen

reden

der Regen

reiben

reich

reif

reimen

rein

reisen

reiten

der Ritter

die Robbe

der Roboter

rodeln

rosa

die Rose

rosten

rot

rubbeln

die Rübe

rüber

rütteln

runter

rutschen

S

sagen

sägen

die Salami

der Salat

sammeln

die Sandale

der Sattel

sauer

saugen

sausen

schade

das Schaf

schaffen

der Schal

schalten

schauen

schaukeln

scheinen

die Scheune

schlafen

schlagen

schlau

schleichen

der Schlitten

der Schlüssel

schmal

schmatzen

schmusen

schnappen

schneiden

schnitzen

die Schokolade

schon

schön

schreiben

schütten

der Schwan

schweben

das Schwein

schwimmen

schwören

das Segel

segeln

sehen

	die Spinne
	spinnen
sein	springen
seit	die Spritze
selten	spritzen
der Sessel	sprühen
setzen	spülen
sich	spüren
so	die Staffelei
das Sofa	staunen
sofort	stehen
die Sonnenblume	steif
sonst	steigen
der Spagat	steil
	der Stein
	stellen
	der Stift
	stolpern
	stopfen
spannen	stoppen
sparen	der Storch
der Spaten	streichen
der Spinat	streiten

stur
suchen
summen
super
surren

die Tafel
tanken
tanzen
tappen
die Tasche
tasten
der Taucher
taufen
tauschen
das Taxi
der Teddy
teilen
das Telefon
der Tiger

tippen
der Tisch
toben
tollen
die Tomate
tot
total
tragen
treten
treu
die Trompete
tropfen
trösten
tun
die Tür

üben
über
der Überfall
das Ufo

der Uhu
um
der Umschlag
der Umzug
die Uniform
uns
unten
unter
die Urkunde
der Urwald

V

der Vampir
die Vase
der Vater
das Veilchen
der Verband
die Villa

der Vogel
von
vor
voran
voraus
vorne
der Vulkan

W

wach
der Wagen
wagen
der Wal
der Wald
wandern
die Wanne
warnen
warten
warum
was
waschen
das Wasser

		das	Zebra
	weben		zeichnen
	wegen		zeigen
	weich	das	Zelt
	weil		zelten
	weinen	der	Zirkus
	weit		zischen
die	Welle	die	Zitrone
	wem		zittern
	wen		zu
	wer		zum
	wetten		zündeln
die	Windel		zwei
	wir	der	Zwerg
	wozu	die	Zwillinge
	wünschen		zwischen
			zwölf

Z

zappeln

der Zauberer

zaubern

der Zaun